환경을 바꾸는 행동들

환경을 바꾸는 행동들

발   행 | 2023년 11월 28일
저   자 | 김민지, 김혜인, 안소윤, 손예지
          (대전삼천중_지구를 위한 삼천가지 행동 동아리)
펴낸이 | 한건희
펴낸곳 | 주식회사 부크크
출판사등록 | 2014.07.15.(제2014-16호)
주   소 | 서울특별시 금천구 가산디지털1로 119 SK트윈타워 A동 305호
전   화 | 1670-8316
이메일 | info@bookk.co.kr

ISBN | 979-11-410-5570-7

www.bookk.co.kr
© 지구를 위한 삼천가지 행동 2023

환경을 바꾸는 행동들

김민지, 김혜인, 안소윤, 손예지 지음

BOOKK

| 차례 |

지구를 위하는 행동들

| 작가 소개 | 김민지

나는 당장 고등학교 입시를 눈앞에 둔 중학교 3학년 학생이다. 평소에 환경에 관심이 있는 편도 아니었고, 책에는 더더욱 흥미가 없었다. 그러다가 동아리에 가입하고 환경에도 관심이 생기고 책 읽기에도 흥미가 생겼다. 비록 내가 쓴 글이 잘 쓴 글도 아니고 이 글이 재미있는 내용의 책은 아니지만, 이 책을 쓰는 나는 누군가 한 명이라도 이 책을 읽고 환경에 대한 관심을 가지고, 환경오염과 기후 변화가 주는 문제에 경각심을 가지기 바라는 마음이다.

1. 우리가 노력해야 하는 이유

　최근 환경의 변화가 많이 심해지면서 나도 지구를 위한 무언가를 해야겠다는 생각을 많이 하게 되었다. 지구가 너무 많은 변화를 겪으면서 나를 비롯한 많은 사람들도 새로운 삶을 가꿔나가야 하게 되었다.

　산업 혁명이 일어난 후 지구의 평균 온도는 높아지고, 이산화탄소 농도가 증가하면서 오존층도 파괴되고 지구온난화를 날이 갈수록 심각해지고 있다.

　책으로 어렵게만 접하던 지구온난화는 가면 갈수록 몸으로 더 많이 느끼고 있다. 여름이 되면 온도는 극도로 높아지고, 한 달 내내 비가 오기도 한다.

　기온 상승이 매우 심각하다는 것을 느낄 수 있는 부분은 우리나라에서 자랄 수 없는 열대 과일들이 자란다는 것이다. 최근 3년간 국내 아열대 작물 생산량이 3배나 늘어났다. 열대지방에서 자라는 망고는 제주도뿐만 아니라 충남 부여, 전남 영광, 경남 통영과 함안 등에서 재배되고 있다. 또한 제주도의 특산품인 한라봉은 충북 충주, 전북 정읍, 전남 나주에서 재배되고 있다. 원래 1991~2000년의 한국 6~8월 평균 기온이 23.7도였는데 최근 2013년~2022

년 동안 24.3도로 0.6도가 오른 것이 우리나라에서 열대작물들이 자라는 이유이다. 이로 인한 피해도 매우 크다. 원래 대구를 중심으로 형성되었던 사과 재배지는 지금 강원도로 북상했고, 2070년에는 한반도에서 사과를 재배하기 어려울 수도 있다는 예측도 있다.

기온이 상승하는 바람에 빙하가 계속 녹아 해수면은 상승한다. 2013년까지 해수면은 산업 혁명 전 대비 19cm 증가했다. 해수면 상승은 1995년부터 최근까지 더욱 가속화되고 있다. 만약 앞으로 전 지구 평균 지표 기온이 2도 이상 상승한다면 전 지구 해수면 온도는 해수의 열팽창 및 대륙에 있는 빙상과 빙모의 녹음 정도에 따라 1m에서 4m까지 상승할 가능성이 있다.

지구온난화는 해양생태계에도 영향을 끼친다. 해양에게 아주 감사해야 할 부분은 해양이 이산화탄소를 흡수해준다는 것이다. 실제로 하와이 마우나로아에서 관측된 대기 중 이산화탄소 농도 증가는 실제 화석연료 연소에 따른 방출량의 57%에 불과했다. 그 이유는 해양과 생태계가 이산화탄소를 각각 약 23%, 약 15%를 흡수했기 때문이다. 만일 이 둘이 없었다면 기온 상승은 더 큰 폭으로 나타났을 것이다. 그러나 이렇게 많은 이산화탄소를 해양이 흡수하면 할수록 해양 산성화는 급속하게 진행된다. 해수 pH는 8.2에서 8.1로 감소되었는데 이는 25~30% 산도 증가에 해당한다. 지난 2백만 년 동안 해수 pH는 8.1 이하로 내려간 적이 없는 것으로 추정된다. 따라서 해양 산성화가 더 진행되면 산호 백화현상으로 인한 산호 종 멸종위기 등 더 많이 해양 생태계에 악영향을 미칠 것이다.

당연하게도 지구온난화는 육상 생태계에도 영향을 미친다. 기온이 상승하며 추운 지역에 사는 동물들은 살아가기 힘들어졌고, 먹이사슬이 파괴되니 모든 동물들이 살기 힘들어졌다. 봄철이 빨리 시작되며 식물과 동물들의 서식지가 북쪽과 고도가 높은 곳으로 이동하고 있으며 이와 더불어 많은 생물종이 멸종되어 생태계 다양화가 줄어들고 있다.

우리는 이 모든 일에 책임이 있다. 앞서 말했듯이 지구온난화는 산업 혁명이 일어난 이후에 심각해진 것이기 때문이다. 결국 인간은 자신의 편함과 더 나은 삶을 위해서 우리가 살아가는 환경인 지구를 망치는 짓을 벌인 것이다. 그러므로 모든 책임은 인간에게 있다.

지금 전 세계는 지구온난화를 조금이라도 늦추기 위해서 파리기후협정, 지구의 날 만들기, 전기차와 수소차 대중화 시키기, 친환경 발전기 사용하기, 친환경 빨대 사용하기 등 환경을 지킬 수 있는 여러 가지를 노력 중이다.

하지만 아무리 세계가 이렇게 노력을 하더라도 우리가 이런 제도들을 알고 실천하고, 일상에서 지구를 지키기 위해 노력하지 않는다면 아무 소용이 없다. 그러므로 우리는 일상에서 지구를 지킬 수 있는 일을 무조건 해야만 한다.

2. 우리가 일상에서 쉽게 할 수 있는 일

첫째로는 안 쓰는 콘센트 뽑기이다. 환경을 지키는 일에 대해 알아보다 보면 무조건 나오고 아주 많이 들어본 말일 것이다. 하지만 그만큼 중요하고 해야만 하는 일이다. 콘센트를 뽑는 것은 화석연료와 관련이 있다. 우리는 지금 화석연료를 이용하는데 화석연료는 환경오염에 아주 많은 영향을 미치지만 우리에게 없어서는 안되는 에너지원이다. 화석연료를 아예 사용하지 않을 수는 없기 때문에 화석연료를 적당히 사용하면서 환경에 도움을 주어야 한다. 그리고 현재 화석연료는 많이 남지 않았다. 지금까지 우리가 에너지를 낭비하며 사용한 결과이다. 에너지를 낭비한 결과로 우리는 환경 오염과 화석연료의 고갈을 얻었다. 화석연료는 우리의 일상 여기저기에 영향을 미친다. 매일 사용하는 전기도 화석연료가 없다면 사용하지 못하고 깨끗한 물도 못 마신다. 정말 에너지를 아껴야 한다. 그러기 위해서는 첫 단계로 전기 콘센트를 뽑아야 한다. 전기 콘센트를 뽑으면 환경도 보호할 수 있을뿐더러 고갈되어가는 화석연료도 아낄 수 있다.

둘째로는 세수와 양치 할 때 수도 닫아두기이다. 매년 화장실 수도꼭지로 낭비되는 물의 양만 약 11400리터이다. 지구의 76%는 물로 덮여 있지만 그 중 인간이 실제로 사용할 수 있는 물은 고작

1%밖에 되지 않는다. 지구 전체의 물 중 1%이니 많아 보일 수도 있지만 70억 명의 인구가 사용하기에는 턱없이 부족한 양이고 실제로 지금도 벌써 물이 부족한 국가가 굉장히 많다. 그래서 우리는 아주 사소한 일인 수도꼭지 잠그기부터 실천해서 지구의 물을 아껴야만 한다.

셋째로는 분리수거 잘하기이다. 이 내용 또한 아주 많이 들어보았을 것이다. 그만큼 분리수거는 정말 중요하다. 우리가 일상에서 버리는 쓰레기는 종류에 따라 재활용이 가능한 쓰레기, 음식물 쓰레기, 일반 쓰레기로 나뉜다. 이 중 재활용이 가능한 쓰레기는 종이, 플라스틱, 금속 등으로 구분되며, 이러한 쓰레기들은 재활용 공정을 거쳐 새로운 제품으로 재활용될 수 있다. 그래서 우리는 분리수거의 중요성을 알고 개인적으로 실천해야 한다. 분리수거를 하면 재활용이 가능한 자원들을 분리하여 수거함으로써 자원의 낭비를 줄일 수 있다. 분리수거한 쓰레기들은 재활용을 통해 새로운 제품으로 탄생할 수 있다. 분리수거를 하는 방법은 어렵지 않지만 흔히 하는 실수에 대해 바로 잡자면 페트병을 버릴 때는 페트병에 붙은 비닐을 떼어내서 따로 분리하여 배출해야 한다.

지금까지 우리가 일상에서 쉽게 지킬 수 있는 방법에 대해 알아보았다. 정말 어렵지 않고 시간과 노력도 많이 들지 않는다. 일상생활을 하다가 문득 생각이 들면 실천하면 된다. 자주 실천하다 보면 결국 습관으로 자리 잡게 된다. 아주 작은 행동이 오래 쌓이다 보면 아주 큰 효과가 나타날 것이다. 물론 우리가 이 행동들에 조금의 시간과 노력을 담는다면 지구온난화에 더 좋은 영향을 줄 것이다.

3. 조금 마음 먹는다면 할 수 있는 노력

시간과 노력이 들지만 지구에게는 더 좋은 영향을 많이 끼치는 여러 가지 방법들에 대해 자세히 알아보도록 하자

첫째로는 줍깅하기이다. 줍깅이라는 단어가 생소하고 처음 들어본 사람을 위해 설명하자면 줍깅은 쓰레기 줍기와 조깅의 합성어이다. 쉽게 말하자면 쓰레기를 주우면서 걷는 것이다. 요즘 길거리를 걷다 보면 길가에 쓰레기가 아주 많이 버려져 있는 것을 확인할 수 있다. 조깅을 하면서 길에 떨어진 쓰레기를 줍는 일을 하면 지구를 지키는 것과 운동을 모두 할 수 있어서 일석이조의 효과를 얻을 수 있다. 실제로 줍깅을 해본 결과 약 한 시간 반 정도를 걸어서 봉투 하나를 다 채우는 정도로 아주 많은 양의 쓰레기를 주웠다. 길가에 버려진 쓰레기는 플라스틱병, 맥주캔, 과자봉지, 담배꽁초 등 아주 많은 종류가 있다. 줍깅을 하면 자연스레 스쿼트 자세도 하게 되어 운동 효과도 있고, 환경도 보호할 수 있으니 아주 좋은 방법이다.

둘째는 식생활 개선하기이다. 식생활과 환경 보호가 무슨 관련이 있나 싶겠지만 아주 밀접한 관련이 있다. 우선 동물들을 키울 때 먹이는 먹이와 키우는 토지를 마련하면서 환경오염이 매우 심해진

다. 특히 소를 키울 때 소가 살 수 있는 토지를 마련하며 많은 양의 나무가 베어지고, 소가 먹는 먹이를 마련하면서도 환경오염이 일어난다. 또한 소나 양 등이 소화 부산물로 배출하는 메탄은 세계적 온실가스 배출의 주요 원인이기도 하다. 그러므로 우리는 소나 양 등 가축에 대한 의존도를 많이 낮추고 채식을 해야 한다. 또한 낭비되고 버려진 식량에서도 다량의 메탄이 발생한다. 그러므로 음식에 대한 철저한 계획과 소비, 체계적인 음식물 쓰레기에 대한 관리와 처리가 이루어져야 한다.

셋째로는 교통수단 개선하기이다. 사람들의 주요 교통수단은 자동차이다. 종종 자전거를 타는 사람도 있고, 걷는 사람도 있지만 그렇게 많지는 않다. 자동차는 온실가스 배출의 가장 큰 공급원이다. 그래서 우리는 이산화탄소 배출량이 낮은 하이브리드 차와 전기차 이용을 늘려야 한다. 자동차의 휘발유 사용량을 줄여 대기에 배출되는 이산화탄소의 양도 줄여야 한다. 또 의외로 자율주행차의 도입도 온실가스를 줄일 수 있다. 자율주행차는 실시간 도로 상황에 맞춰서 막히지 않는 길로 자동으로 노선 변경을 하기 때문에 자동차가 도로 위에서 움직이는 시간을 줄여준다. 이렇게 되면 일반 차량이 소비하는 에너지의 양보다 적은 양의 에너지를 사용하여 환경을 보호할 수 있다. 물론 당연히 가까운 거리를 갈 때는 도보나 대중교통, 자전거를 이용하면 좋다.

넷째로는 비건 제품 구매하기이다. 비건 제품은 환경에도 좋을 뿐만 아니라 동물 보호에도 기여한다. 왜냐하면 동물성 원료는 동물의 고통과 희생을 동반하는데, 비건 제품은 동물성 원료를 사용하지 않기 때문이다. 예를 들어 동물성 콜라겐은 동물의 가죽이나 뼈에서 추출하기 때문에 추출하는 과정에서 동물의 고통을 동반한다. 우리가 주목해야 할 부분은 비건 제품은 환경에 친화적이라는 것이다. 동물성 원료는 생산 과정에서 환경 오염을 유발할 수 있다. 왜냐하면 동물성 원료를 생산하는 과정에서 많은 양의 물과 화학물질을 사용하기 때문이다. 하지만 비건 제품은 동물성 원료를 사용하지 않기에 이런 화학물질과 많은 양의 물 사용을 줄일 수 있다. 비록 비건 제품은 선택의 폭이 좁고, 가격이 다른 제품에 비해 비싸긴 하지만 경제적 여건이 된다면 환경에 도움이 되는 비건 제품을 사용하는게 훨씬 좋다.

다섯째로는 일회용 컵 사용하지 않고 텀블러 사용하기이다. 카페에 가게되면 우리는 자연스레 일회용 플라스틱 컵을 사용하게 된다. 플라스틱 빨대와 플라스틱 컵, 종이 컵 홀더는 거의 매일 사용하는 제품이다. 플라스틱은 잘 썩지도 않고, 땅에 묻히면 토양에도 좋지 않은 영향을 끼치므로 많이 사용하면 안 된다. 그래서 우리는 텀블러를 사용해야 한다. 무겁기도 하고 챙기기 귀찮다고 생각할 수도 있지만, 카페에서 텀블러를 사용하면 백 원을 돌려주고, 뚜껑을 닫아 오래오래 새지 않고 들고 다닐 수도 있어서 아주 편리하다. 텀블러 사용과 함께 다회용 빨대를 사용하면 환경 보호에 더욱 효과적이다. 디자인이 예쁘고 귀여운 텀블러를 사용해서 기분전환과 환경 보호 둘 다 챙긴다면 아주 좋을 것이다.

여섯째로는 에너지 효율 증가이다. 가정, 사무실, 공장 등 건물에서 나오는 온실가스는 주로 냉난방 시스템, 조명, 가전제품에서 나온다. 우리가 사용하는 가전제품에는 에너지 효율 스티커가 붙어있는데 이 에너지 효율 스티커는 등급이 높을수록 에너지 효율이 향상된다. 에너지 효율 등급이 5등급에서 1등급 제품으로 바꿀 경우 30~45%의 전기를 절약할 수 있고, 연간 3만 5000원 정도의 전기요금을 아낄 수 있다. 국제 에너지 기구가 발표한 자료에 따르면 2050년 기준으로 온실가스 감축을 위한 정책 수단에서 기기 설비 부문 에너지 절약은 36%로 가장 중요한 비중을 차지한다. 이처럼 효율 관리제도를 통하여 에너지절약형 제품을 많이 보급함으로써 원천적인 에너지 효율 상향을 기하는 것이 가장 유용한 온실가스 감축 방법이다. 에너지 효율 등급이 높은 제품은 가격이 조금 비싸지만 멀리보면 전기세도 적게 들고, 에너지도 절약하며 지구에도 도움을 줄 수 있기 때문에 훨씬 이익이 많은 소비라고 생각한다.

일곱 번째는 최대한 LED 조명으로 교체하기이다. LED 조명은 일반 조명에 비하면 가격이 조금 높은 편이다. 하지만 LED 조명은 일반 조명에 비해서 25~85% 에너지 소비량이 낮고, 35~25% 정도 더 오래 지속되기 때문에 장기적으로 보면 비용도 절약하고 환경도 보호할 수 있는 선택이다. 조명은 우리가 매일매일 켜고 생활하기에 가장 많이 사용하는 조명을 LED 조명으로 바꾸는 선택은 지구에 아주 많은 도움을 준다.

지금까지 우리가 더 노력하면 할 수 있는 지구를 지키는 방법에 대해서 알아보았다. 지구를 지키는 방법은 아주 많고 그중 우리가 모르지만 일상에서 실천할 수 있는 방법도 아주 많다.

4. 국가가 할 수 있는 노력

환경 보호를 위해서는 우리가 할 수 있는 일도 있지만 국가 제도나 국가 간의 협정을 통해 해야 하는 일도 있다. 전 세계가 모두 함께해야 지구를 지킬 수 있는 일은 국가의 도움이 필요하다.

첫째로는 재생 에너지를 사용하는 것이다. 온실가스 배출을 줄이는 것은 기후 변화 문제를 해결하는 아주 중요한 문제이다. 온실가스는 에너지를 얻기 위해서 석탄이나 석유 등을 연소하는 과정에서 주로 발생한다. 화석연료의 과도한 사용은 대기 중 온실가스를 증가시킨다. 인간이 방출하는 온실가스 중 약 85%는 화석연료의 연소에 의해서 발생한다. 그래서 우리는 화석연료의 사용을 줄이고 재생 에너지를 사용해야 한다. 재생 에너지는 태양, 바람, 바이오매스, 지열 등 매우 많은 에너지가 있다. 그래서 정부는 화석 연료 사용을 줄이고 재생 에너지 사용을 늘려야 한다.

둘째는 산업 분야 개선이다. 기업이나 정부는 탄소 포집 활용 기술을 이용할 수 있다. 이것은 산업 시설에서 발생하는 온실가스가 대기 중으로 배출되지 않도록 공장에서 배출되는 이산화탄소를 포집해 땅속에 저장하거나 이것을 이용해 연료나 플라스틱, 비료, 건축 자재 등을 만들어 낼 수 있다. 그리고 정부는 기업에게 온실가스 배출량을 정해주면 각 기업들은 배정된 만큼 온실가스를 배출하고, 여유분이나 부족분의 배출권을 거래시장에서 사고 팔도록 하는 제도인 온실가스 배출권 거래제를 실행하는 것이 좋다. 이미 우리나라는 이 제도를 2015년부터 실행하고 있다.

셋째로는 숲 늘리기와 토지 관리하기이다. 숲을 늘려야 한다는 이야기는 아주 많이 들어봤을 것이다. 나무와 식물은 이산화탄소를 모아 저장해주고 산소를 배출하는 아주 훌륭한 이산화탄소 흡수원이다. 이산화탄소를 줄이기 위해 산림 파괴를 멈추고, 숲을 가꾸고 관리해야 한다. 우리도 쉽게 식물을 기르고, 마당이 있는 집에 살면 나무를 심을 수 있지만 대부분의 사람은 아파트에 거주하니 정부는 나무 심기 캠페인을 자주 시행해서 숲을 가꿔야 한다. 또 화석연료를 기반으로 한 화학 비료의 사용을 줄여서 친환경적인 농업 시스템을 만들어야 한다. 왜냐하면 화학 비료는 토지에 매우 좋지 않고, 그 주변에 자라는 식물들에게도 아주 좋지 않은 영향을 미치기 때문이다.

넷째로는 해양을 보호해야 한다. 앞서 말했듯이, 바다는 가장 큰 온실가스 흡수원이고, 인류에게 엄청난 자원을 공급해준다. 지구온난화의 영향 중 하나로 해양생태계 파괴가 있다. 지구온난화로 바닷물의 온도는 꾸준히 상승하고 있다. 이 따뜻해진 바닷물은 해양생물의 생활을 힘들게 한다. 그리고 이렇게 상승한 온도로 인해 빙하가 녹게 되어 해수면의 높이도 상승하고 있다. 이로 인해 저지대에 살고 있는 주민들은 자신의 주거지가 사라질 위협에 빠져있다. 그리고 대기 중 많은 이산화탄소가 바다에 흡수되며 바다가 산성화된 것도 해양생물의 감소에 영향을 미친다. 그래서 정부는 온실가스 배출량을 줄여서 해양의 산성화를 최대한 막아야만 하고, 빙하가 더 녹아서 해수면의 높이가 상승하는 것을 무조건 막아야만 하며 지나친 해양 개발 행위를 제한해야 한다.

다섯째로는 기후 변화에 적응하고 대비해야 한다. 매년 지속적으로 기온은 오르고, 해수면은 상승한다. 그리고 태풍, 홍수, 산사태, 폭염, 산불 등 자연재해와 이상기후는 날이 갈수록 더 높은 강도로 자주 발생할 것이다. 그래서 정부는 이런 자연재해와 기후 변화에 빠르게 대응할 수 있도록 대비책을 마련해야 하고, 피해가 일어났을 때 다시 복구를 할 수 있도록 해결책을 구체적으로 마련해야 한다. 우리가 아무리 온실가스 방출을 줄인다고 해도 기후 변화는 계속될 것이다. 그런데 제대로 된 대비책을 마련하지 않으면 기후 변화의 피해는 날이 갈수록 더 커질 것이고, 견디기 힘들 것이다.

지금까지 이렇게 국가의 제도가 지구의 환경 보호에 도움을 줄 수 있는 사례들에 대해 알아보았다. 이 사례들은 우리가 쉽게 제도들을 시행할 수는 없지만 이런 해결책이 있다는 것을 알고, 계속해서 관심을 가진다면 직접 제도를 만들 수는 없더라도, 우리 지구를 지킬 수 있을 것이다.

이 책을 작성하며 나는 환경에 대해 많은 것을 알게 되었다. 정말 우리의 지구가 많이 아파하고 있고, 우리는 그런 지구를 지키기 위해서 많은 노력을 해야 할 것 같다고도 생각했다. 하지만 나 혼자서 행동하면 미미한 효과밖에 없을 것 같다는 생각도 들었다. 70억 인구 중 나 하나 실천하지 않는다고 무슨 일이 일어나겠어? 라는 생각이 70억 개가 모여 결국에는 이렇게 지구가 많이 아파진 것 같다는 생각도 들었다. 우리는 지구를 위해서 지금까지 우리가 만들어온 이 현재를 반성하며 살아야 한다. 그러기 위해서는 우리는 작은 것부터 하나하나 실천해 나가야 하고, 모두가 함께 실천해야 한다. 아주 작은 행동이 70억 개가 모이면 아주 큰 행동이 된다. 마치 작은 나비의 날갯짓 하나로 지구 반대편에서는 큰 태풍이 부는 것처럼. 우리도 아주 작은 나비처럼 날갯짓을 계속해서 해야 한다. 우리는 우리가 만든 오늘날의 처참함을 아름다움으로 바꿔야 하고 이 책을 읽는 모든 독자들이 함께해줘야 한다.

지구는 파괴된다

| 작가 소개 | 김혜인

나는 친환경적인 지구를 위한 동아리 부원이다. 사실 처음에는 관심이 큰 분야의 동아리가 아니었지만 들어오고 나서 현재 지구의 상태를 배우면서 현재 지구의 상태, 지구온난화와 관련되어 흥미를 가지게 되었다.

1. 초콜릿이 환경을 파괴한다고?

우리는 보통 힘들거나 기분이 나쁠 때 기분이 좋아지게 하도록 달콤한 간식들을 즐겨 먹고는 한다. 그중 대표적인 간식으로는 초콜 릿이 있다. 하지만 우리가 항상 즐겨 먹던 초콜릿은 지금, 이 시각 에 지구를 오염시키는 주범이 될 수 있다. 초콜릿이 환경을 오염시 키는 주요 원인은 초콜릿을 만들면서 사용하는 팜유 때문이다.

팜유란 팜나무의 열매에서 짜낸 식물성 기름으로 일반적인 식물 성 기름과 비교하였을 때 같은 면적에서 평균적으로 팜유의 생산 량이 약 10배 정도 높아서 경작지 대비 높은 효율성을 가지고 있 다. 40년 전과는 달리 약 50배 이상의 생산량을 자랑하면서 세계 자연기금(WWF)에서 밝힌 최근 들어서 전 세계에서 가장 많이 생 산되고 있는 식물성 기름이 되었다. 하지만 팜유의 생산량이 급증 하면서 계속해서 제기되는 문제는 팜유의 환경오염 문제이다. 그러 나 환경파괴의 주범이라고 알려진 팜유의 실체는 우리가 아는 것 과는 매우 다르다. 팜유는 자체로는 나무 자체에서 연간 평균 161 톤의 탄소를 흡수하면서 평균 18.7톤의 많은 양의 산소를 배출하 는 것처럼 온실가스로 지구의 환경이 오염되어 갈 때 어쩌면 지구 에는 없어서는 안 되는 나무이다. 하지만 팜유가 환경오염의 주범으로 된 것은 우리가 팜유를 과하게 생산해 나가기 시작한 시점이다. 팜유는 흐르고 무색과 무맛 그리고 식품에 사용되었을 때의 부드러운 식감을 가지고 있는 21세기 최고의 식물성 기름이라고 할 수 있다. 그래서 우리는 팜유를 치약, 샴푸, 방부제 또는 첨가제 그리고 다양한 음식 속에 사용한다. 대부분 사람은 팜유의 환경오염을 듣기 전까지는 이런 팜유의 장점을 생각하면서 '자신도 팜유 농사를 하는 것은 어떨까?'에 대해서 한 번쯤 생각해 보았을 것이다. 이처럼 인간들의 생산 욕구는 심해져 갔고 그로 인해서 팜유로 인한 지구의 환경파괴 문제는 더욱이 심각해졌다. 그러면 팜유와 환경파괴에는 어떤 관련이 있는 걸까?

먼저 내가 소개할 팜유와 환경파괴의 관련성은 팜유의 경작지 증가가 원인이 된 숲과 열대우림 감소이다. 숲과 열대우림은 팜유의 대표적인 경작지이자 수많은 나무로 온실기체를 흡수하고 산소를 배출하면서 지구의 환경 문제를 해결하기 위해서 최선을 다해서 노력해 주는 존재들이다. 실제로 기존 팜유 농장이 330만 헥타르이었지만 팜유의 생산량이 급격하게 증가한 시점부터 경작지가 2870만 헥타르로 기존의 경작지보다 약 9배 증가하였고 그로 인해서 숲과 열대우림의 면적은 급격하게 감소하였다. 이에 따라 나타난 부정적인 영향으로는 팜유를 가장 많이 생산하고 수출해 내는 말레이시아와 인도네시아의 숲과 열대우림은 각각 약 27%, 15% 파괴되는 결과를 초래하였다. 또한 실제로 인도네시아의 41개의 국립공원 중 37개가 불법적인 벌목이 일어났고, 남은 4개의 국립공원마저도 벌목이 진행 중이라고 한다. 불법적인 벌목은 숲과 열대우림의 면적 감소로 끝나는 문제는 전혀 아니다. 불법적인 벌목의 영향으로는 방화의 유독성 연기로 호흡기 질환을 많은 사람이 가지게 되고 온실가스의 배출량은 더욱 증가하는 것이다. 숲과 열대우림은 방출된 이산화탄소를 흡수하는 되려 지금 팜유의 경작지 확대로 인해서 인근 숲과 열대우림은 이산화탄소 흡수 가능 지역의 넓이는 줄어들고 온실가스의 배출량은 증가하게 되는 것이다. 또 야생동물들 서식지로 사용이 되는 숲과 열대우림이 없어지면서 193종의 야생동물들이 멸종위기에 처하게 되었다. 그 대표적인 동물로는 말레이시아에서 인간과 닮았다고 하여 숲의 아이라 불리는 오랑우탄이다. 오랑우탄은 평균적으로 매일 25마리가 죽어가고 있고 최근 15년 동안에 약 10만 마리가 감소하였다. 오랑우탄을 지키기 위해서 환경단체 그린피스에서는 전 세계에 남아있다고 추정되는 10만 마리의 오랑우탄들 또한 약 50년 안에 멸종될 것으로 예상하였다. 말레이시아뿐만 아니라 인도네시아에 있는 수마트라섬에서도 많은 동, 식물들이 멸종위기에 처해있다. 대표적인 동물로는 수마트라코뿔소가 있다. 수마트라코뿔소의 개체수 감소에는 뿔을 얻기 위해 이루어진 밀렵이 주원인인 것으로 여겨지지만 농경지 개간과 삼림벌채와 같은 사업으로 인한 서식지 상실도 한몫하였다. 또 다른 대표 동물인 수마트라 코끼리는 불과 25년간 서식지 70%를 잃었고 개체수의 약 50%가 감소하였다. 현재 야생에는 1985년 개체군의 절반 정도인 약 2,600마리가 남아있는 것으로 추정되고 있다. 수마트라 코끼리 역시 멸종으로 몰고 가는 가장 큰 요인으로는 서식지 손실이 꼽힌다. 수마트라 코끼리의 서식지 85% 이상이 보호구역으로 지정되지 않아 삼림벌채와 팜유 산업에 약 69%의 서식지가 훼손되었기 때문에 수마트라 코끼리의 개체수가 감소하는 것이다.

또 팜유로 인해서 파괴되는 것은 막대한 온실가스가 발생하면서 생기는 대기 오염이다. 팜유 플랜테이션은 매년 아주 많은 탄소를 흡수하는 팜나무를 벌목하면서 막대한 양의 온실가스를 배출한다. 열대우림의 팜유 플랜테이션 전환은 대략 축구장의 넓이와 비슷한 1ha당 한국의 연간 1인당 온실가스 배출량의 10배를 배출하는 것과 같이 엄청난 양의 온실가스를 배출하는 중이다. 오랜 시간 퇴적되면서 탄소 저장량은 높은 습지대를 이탄지 지형이라고 한다. 특히 온실가스는 이탄지 지형을 파괴하고 들어선 팜유 플랜테이션의 경우 문제는 탄소를 흡수하는 습지대는 없애고 오히려 탄소를 더욱 배출하게 되면서 더욱 심각해진다. 이탄지는 일반 산림과 비교해서 18~28배에 달하는 탄소를 저장할 수 있어서 환경오염이 심각해진 오늘날 탄소를 흡수하는 중요한 역할을 해주고 있다. 하지만 인도네시아와 말레이시아와 같은 팜유 재생산 경작지에서는 이탄지를 불법적으로 방화하여 들어온 팜유 플랜테이션에서 발생하는 탄소 배출의 69%를 차지한다는 연구 결과도 있다.

환경을 파괴하는 팜유를 대체할 수 있는 것은 없는 걸까? 팜유의 환경오염을 완화해 줄 인공 팜유도 나타나기 시작했다. 뉴욕의 기업 C16 바이오 사이언스(C16 Biosciences)는 환경을 오염시키는 팜유의 문제를 위해서 팜유를 대체할 수 있는 새로운 인공 팜유 만들어 냈다. 이와 비슷한 예시는 몇몇 식품 기술 스타트업들이 인공 고기인 대체육을 만들어낸 것이다. 이처럼 C16 또한 실험실에서 팜유를 대체할 인공 팜유 만들어 낸 것이다. C16은 맥주를 양조하는 과정과 비슷한 산업 관련 생명공학(식물자원 활용 기술)으로 술을 활용해서 마치 배양육을 만드는 것과 같은 발효 과정을 거쳐서 인공적인 팜유 만들었다. 효모의 세포에서 기름이 자라나는 방식인 효모를 키우는 발효 기법을 통해서 인공기름을 생산해낸다.

또한 팜 리스(인공 팜유)는 효모 균주에서 나오는 기름이다. 생산 과정은 사탕수수의 당분을 먹여 실험실에서 키운 효모는 당분을 지질로 빠르게 바꿔서 세포 안에 쌓기 시작한다. 우리는 효모에 축적된 지질을 추출해 기름을 얻게 된다. 무엇보다도 효모의 먹이가 되는 당분을 기존의 사탕수수를 키우는 농장에서 얻는 것이기 때문에 숲과 열대우림과 관련된 파괴는 팜유 생산에 비해 비교적 적다. C16은 전통적인 팜유를 얻으려면 야자수 나무를 키워서 약 7년이 걸리지만 팜 리스(사탕수수를 이용한 인공 팜유)는 생산하는 기간이 약 7일도 채 걸리지 않는다고 발표하였다. 위와 같은 방식들로 생태계의 다양성을 감소시키고, 환경을 파괴하는 팜유를 대신할 수 있다.

2. 소, 왜 이제는 가축량을 줄여야 할까?

소는 우리에게 대단히 많은 것을 선물해 주는 동물 중에서 하나이다. 대표적으로는, 우리에게 소고기와 같은 맛있는 식량을 제공하거나, 놀랍게도 소의 배설물은 또 다른 생물을 위한 연료도 사용되고는 한다. 하지만 소는 일반적으로 우리가 먹는 식품 1kg당 온실가스 배출량이 양고기보다는 약 2.4배, 땅콩보다는 약 24배 정도로 아주 많은 양의 온실가스를 배출한다. 소의 특별한 소화과정인 '반추'로 생긴 온실가스를 과하게 배출하는 방귀와 트림으로 환경이 파괴되고는 한다. 도대체 환경을 파괴하는 소화과정인 반추란 무엇일까? 반추는 한번 삼킨 먹이를 다시 게워 내어서 씹는 과정으로 식물을 먹는 동물 중에서 소, 염소와 같은 포유류에서 관찰되는 소화과정이다. 소는 하루에 풀을 평균 8시간이라는 긴 시간 동안 섭취하면서 그들의 몸무게 약 10%의 풀을 먹이로 먹는다. 이때 식물에는 세포벽을 형성하는 셀룰로스라는 성분이 있는데 소는 이런 성분을 분해할 수 있는 소화효소를 가지고 있지 않다. 그래서 위에 기생하고 있는 미생물로 분해하기 위해 되새김질, 즉 반추 과정을 거치게 되는 것이다. 미생물에 의해서 풀이 셀룰로스 성분이 발효되는 과정에서 메탄가스가 발생한다. 소의 많은 위 중에서 풀은 제1위에서 수소와 이산화탄소, 지방산으로 분해되는데, 이

중 지방산은 동물의 활동이나 성장에 필요한 에너지로 쓰인다. 하지만 소에게 대체로 큰 필요 없는 수소와 이산화탄소는 제1위에서 사는 메탄 생성 미생물에 의해 결합하여서 메탄가스로 만들어진다. 소의 위에서 만들어진 메탄가스는 소의 트림으로 약 90%, 방귀로 약 10%가 방출된다. 이렇게 해서 소의 트림과 방귀로 나오는 메탄가스의 양은 소 한 마리가 하루에 방출하는 메탄가스의 양은 약 280L이다. 특히 전 세계의 소가 1년에 방출하는 메탄가스의 약은 약 1억 톤으로 전체 온실가스 배출량의 18%라는 매우 많은 양을 차지한다. 이렇게 많은 메탄가스를 배출하는 소를 기르는 사람들에게 책임감을 주기 위해 특이하고, 친환경적인 세금을 부과하는 나라들도 하나둘씩 나타나기 시작했다. 2009년에는 에스토니아에서 소의 방귀에 세금을 부과하기 시작하여 소를 기르는 사람은 소 300마리당 약 3,772유로(한화 약 550만 원)의 세금을 내야 한다. 에스토니아에서 소를 가축하고 있는 사람들에게 소의 방귀 세를 부과하게 된 이유는 소들의 트림과 방귀에서 나오는 메탄가스가 에스토니아의 배출되는 메탄가스의 25%라는 어마어마한 양을 차지하고 있기 때문이다. 또한 뉴질랜드에서도 에스토니아와 비슷하게 반추 과정을 거치는 동물을 기르면 세금을 걷는 제도가 검토 중이라고 한다. 하지만 현재 현지 농부들에게 큰 비난을 받고는 있는 제도로 세금의 액수는 크게 정해지지는 않았다. 하지만 인구보다 소와 양의 수가 더 많은 뉴질랜드와 같은 국가에서는 세금 제도가 농부들에게 큰 피해가 갈 수도 있다고 예상이 된다. 에스토니아와 뉴질랜드 이외에도 아일랜드는 소 한 마리당 18달러의 방귀세를 매기고, 덴마크는 110달러를 부과하고 있는 것처럼 세계 곳곳에서는 소가 배출하는 메탄가스의 양이 지구의 환경에 미치는 영향에 대해서 많은 책임을 지게 하도록 노력 중이다.

세금을 부과하는 것을 제외하고도 소의 메탄가스 배출로 인한 지구의 환경파괴를 막기 위한 기술은 계속해서 발전하고 있다. 그 첫 번째 기술은 소가 먹는 사료의 주된 성분을 조작하는 기술이다. 소가 섭취하는 풀에는 셀룰로스 성분이 포함되어 있다. 이때 소가 그 성분을 분해하기 위한 과정에서 메탄가스가 발생하기 때문에 셀룰로스 성분을 분해하는 미생물의 활동을 억제하는 사료를 만들어 내는 것이다. 반추 과정을 일으키는 미생물들을 억제해 줄 방법으로는 소의 사료에 해조류를 섞는 것이다. 실제로 미국에 있는 오리건주(미국의 서북부에 있는 주, State of Oregon)에서는 축산 농가에서 해조류를 사료에 섞은 효과를 확인하는 실험을 시작하였다. 그 결과로 사료에 하루 650그램의 말린 해조를 섞어 먹였더니 메탄 배출량이 2주 뒤 절반으로 줄어들었다.

하지만 일부의 전문가들은 소의 사료에 해조류를 혼합시키는 것보다도 메탄가스를 유전적으로 적게 방출하는 소를 조작하는 것이 더 효율적이라고 주장했다. 이후에는 영국 에버딘대학교(University of Aberdeen)와 호주 애들 레이드 대학교(The University of Adelaide)에서 영국 에버딘대 존 윌리스 교수가 이끈 국제 공동연구진은 유럽연합에 포함된 4개의 국가에서 길러지고 있는 소 1,000마리를 이용해서 연구했다. 그 결과 소의 제1위에 있는 일부 미생물에 의해서 소가 방출하는 메탄가스의 양이 조절되고, 이는 그 조작이 된 형질은 유전이 가능하다는 사실도 함께 발견했다고 루미노믹스(RuminOmics) 컨소시엄 연구진은 국제학술지인 '사이언스 어드밴스'에 개별 소의 유전자가 혹 위의 미생물 구성에 엄청난 영향을 미친다는 사실을 밝혀내었다.

또 다른 방법으로는 소가 배출하는 메탄가스를 다른 물질로 바꿔줄 마스크이다. 소의 콧등에 마스크 같은 웨어러블 장치를 씌워, 소의 입과 코에서 배출되는 메탄가스를 즉석에서 다른 물질로 바꿔주는 방식이다. 소 마스크는 영국의 신생기업인 젤프(Zelp=Zero Emissions Livestock Project)기업이 개발되었다. 소 마스크에 구성된 센서에서 소의 입과 코로 나오는 메탄가스를 감지해 메탄가스의 양이 일정 수준의 양을 초과하게 되면 메탄을 흡수한다. 그 이후 태양광선의 빛에너지를 전기에너지로 바꾸는 태양전지를 통해서 소의 트림에서 나오는 가스인 메탄가스를 흡수한다. 이렇게 흡수된 메탄가스는 특별한 필터를 통과하게 되면서 화학반응을 일으켜, 같은 온실기체이지만 온실 효과 기능이 메탄가스보다 약 86배 덜한 이산화탄소와 수소와 산소로 이루어진 수증기로 바뀌게 된다. 소 마스크를 착용한 소가 배출하는 메탄가스의 양에 관련된 실험의 결과를 살펴본다면, 소 마스크는 소에서 생성되는 메탄 배출량을 최대 53%까지 감소시켜 주는 것으로 나타났다. 이로써, 우리는 소의 메탄가스 배출로 인한 지구온난화를 한 뼘 줄일 수 있게 된 것이다. 지금 당장 육식을 멈추는 것은 많은 어려움이 있겠지만, 대체할 수 있는 기술을 사용한다면 지금보단 지구의 환경은 회복할 수 있을 것이다.

3. 똑똑똑, 물이 낭비된다고?

몸에 수분이 부족하면 어떤 증상이 나타날까? 모두가 많이 들어보았겠지만, 우리 신체의 약 70%는 물로 이루어져 있다. 그로써, 수분은 단순히 우리의 갈증을 해소하는 것뿐만 아니라 신체의 모든 세포가 정상적인 활동을 하기 위해서 필수적이다. 체내에 수분 공급이 원활하지 않으면 신진대사가 둔해져서 쉽게 피로감을 느끼고, 스트레스도 더 잘 받게 되어서 만성피로의 원인이 된다. 또한 혈액의 농도가 진해지면서 몸은 혈압을 높이고, 심박수를 증가시키는 것과 같이 우리 몸속에서 많은 변화가 일어나고는 한다. 이처럼 우리 체내에서 수분이 부족하면 문제가 생기듯이 지구에서 또한 물이 부족한 국가가 여러 생겨나면서 심각한 문제가 발생하고 있다.

그렇다면 우리나라는 현재 물 부족 국가인 걸까? 2006년에 세계물포럼에서 발표한 "물 빈곤지수 (Water Poverty Index)"에서는 전 세계의 147개 국가 중에서 43위로 물 부족에 대한 위험도는 일반적인 국가들에 비해서 상대적으로 낮은 것으로 보였지만 이후 2013년 국교부(국가교통부)와 한국수자원공사 측에서 조사한 결과 우리나라의 1일 1인당 물 사용량은 335L로 스페인(176L)의 약 2배, 스위스(288L)의 약 1.4배 높았고 중국(366L)보다 31L 낮게 측정되면서, 우리나라는 가용 수자원 대비 물 수요 비율이 40%를 넘는 물 스트레스 국가이다. 국교부와 한국수자원공사 측에서는 '물과 미래' 보고서에서 5년 주기로 가뭄이 찾아올 때 약 1.6억m³이라는 어마어마한 양의 물이 부족할 것으로 예상한다. 현재의 우리나라 물 부족 상황을 2000년대 초 때의 상황과 비교했을 때, 우리나라 역시 다른 국가들처럼 물 부족 국가가 되고 있다. 하지만 불행 중 다행처럼 우리나라의 물 사용량은 매년 계속해서 조금씩 줄어들고 있다. 반면에 사용되지 않고 낭비되는 물의 양은 여전히 많은 추세이다. 가정용이나 상업용 정수기에서는 우리가 마시는 물보다도 버려지는 물이 더 많다. 서울시는 2015년 7월에 역삼투압 정수기의 물 회수율은 약 30%에 불과해서 물 한 컵을 정수하기 위해서 서너 컵의 물을 사용하지도 않고서 버리는 것으로 나타났다고 발표했다. 역삼투압 정수기는 인공적으로 불순물이 섞인 물을 전기 펌프로 반투막 속으로 밀어 넣고 압력을 가해서 깨끗한 물만 막의 반대쪽으로 빠져나오도록 만든 정수기이다. 우리나라의 가정에서 정수기의 절반 이상이 이런 원리를 가진 역삼투압 정수기를 사용하고 있을 정도로 우리에게는 흔한 정수기이다. 이렇게 역삼투압 정수기가 흔한 만큼 우리는 습관적으로 정수기를 사용해서 물을 마시면서 마신 양의 3배가 넘는 물을 하루에도 몇 번씩이나 낭비하고 있는 셈이다. 하지만 우리의 물 낭비는 주방의 정수기만으로 끝나지 않는다. 물이 없어서는 안 되는 화장실도 많은 양의 물을 낭비하는 것은 마찬가지이다. 가정에서 사용하는 용수중에서 약 25%라는 많은 물이 변기 물로 사용된다. 일반적인 가정에서 많이 볼 수 있는 수세식 변기는 물을 한 번 내릴 때마다

8~15L의 물을 흘려보내면서 하루에 한 사람이 평균 50L, 4인 가족에서는 225L의 물을 사용하게 만든다. 이를 최소화하는 방법은 있을까? 먼저 수세식 변기를 사용하는 곳에서는 변기의 물탱크 안에 벽돌을 넣는 방법이 있고 대변과 소변을 구분해서 물을 내릴 수 있어서 수세식 변기에 비해 비교적 물을 절약할 수 있는 절수형 변기를 사용하면 4인 가족을 기준으로 화장실 안에서 목욕과 세면을 하면서 쓰이는 물도 우리도 모르게 많은 양이 낭비된다. 칫솔질하며 물을 잠그지 않아도 30초 정도만 물을 틀어놔도 약 6L의 사용한 적 한 번도 없는 물이 낭비되는가 하면, 아침에 세수하느라 세면대를 사용한 뒤 수도꼭지를 제대로 잠그지 않아서 저녁까지 물방울이 한 방울, 한 방울씩 떨어지면 100L의 물이 사용하지도 않고 하룻밤 사이에 낭비되어 가는 것이다.

우리나라에서만 많은 양의 물이 낭비되고 그로 인해서 물이 부족한 현상이 나타나는 걸까? 아니다. 2017년과 2018년에 시작된 케이프타운의 물 위기는 물 부족 문제에 대해 국제적인 관심을 끌게 한 주요 사건이었다. 케이프타운에서 물 위기가 온 대표적인 원인으로는 장기간 평균 이하의 강우로 도시의 저수지와 댐의 수위를 크게 낮추었고, 이에 따라 극심한 가뭄이 발생하였다. 또 다른 이유는 케이프타운의 급격한 인구 증가와 도시화이었다. 인구 증가와 도시화는 기존 수자원에 추가적인 부담을 주었고 여러 가지 원인으로 인해서 나타난 물에 대한 수요 증가는 가뭄으로 인한 물의 가용성 감소와 맞물리면서 케이프타운의 물 위기를 더욱 악화시켰다. 이렇게 나타난 물 위기는 케이프타운에 많고 심각한 영향을 주었다. 케이프타운의 주요 산업이었던 관광산업은 잠재적인 방문객이 물 부족 전망에 따라서 급격하게 감소하게 되면서 관련된 산업과 지역 관광 사업에 파격적인 효과를 미치면서 경제적으로 큰 악영향을 주었다. 그뿐만이 아니라 물의 가용성이 감소함에 따라서 위생에 대한 우려가 제기되면서 잠재적으로 물이 부족하면서 일어날 수 있는 건강 문제와 오염된 물에 의해 전달되는 감염성 질병인 수인성 질병의 위험성이 더욱이 증가하였다. 케이프타운이 물 위기를 극복하기 위한 대응으로는 먼저 근본적인 해결 방안인 물 절약 노력이 대단히 컸다. 물 위기는 개인, 기업적으로는 거주자들, 사업체들과 산업체들 사이에서 광범위한 물 절약 노력을 촉발하게 시켰다. 대중 인식을 위한 캠페인은 사람들이 물을 절약하고 효율적인 방법을 채택할 것을 촉구하였다. 국가적 차원에서는 지방정부의 물 사용 제한과 물 기반 시설에 대한 투자를 포함한 긴급 조치 시행과 남아프리카 공화국 정부는 위기를 해결하기 위해서 케이프타운에 지원을 제공하였다.

전 세계적으로 물 부족 현상이 심각한 만큼 이런 현상을 억제할 방법은 첫 번째로 우리가 물을 굉장히 많이 낭비하는 곳인 화장실에서 절약하는 방법으로 절수 샤워 꼭지를 설치하는 그것이 있다. 1분당 샤워 꼭지에서 흘러나오는 물의 양은 9.5L 정도가 된다. 하지만 절수 샤워 꼭지를 설치해서 사용한다면 수압은 그대로 유지할 수 있지만 물을 절반 정도 절약할 수 있다. 비슷한 방법으로는 수도꼭지에 에어레이터를 설치하는 것이다. 에어레이터를 수도꼭지에 더해주면 물이 흘러나올 때 공기가 더해지면서 수압이 안정화되고 전체적으로 사용되는 물의 양이 줄어들면서 자연스럽게 낭비되는 물의 양 또한 줄어들게 된다. 또한 변기를 쓰레기통으로 사용하지 않는 것도 중요하다. 변기에 쓰레기를 흘려보낸다면 수질과 배수에 관한 문제도 발생하겠지만 매번 하나의 쓰레기를 위해서 많은 양의 물도 낭비된다. 주방에서는 어떻게 해야 할까? 먼저 요즘 많이 사용하고 있는 식기세척기로 물 낭비를 감소하는 방법이다. 식기세척기를 식사 시간 이후마다 가동하게 시키는 것이 아닌 식기세척기가 꽉 찼을 때 가동하고 크기가 큰 음식물 쓰레기는 흘려보내는 것이 아닌 따로 버려서 식기세척기 속에 넣는다. 물 발자국을 줄이는 방법도 있다. 먼저 물 발자국이란 상품을 생산하고 사용하고 폐기하는 데 쓰이는 모든 물의 양을 포함한 것이다. 첫 번째 방법은 물 마시기이다. 당연하게 생각할 수도 있다. 하지만 우리는 종종 물 대신 술, 차, 청량음료, 주스를 마시고는 한다. 하지만 이런 상품을 생산할 때 많은 양의 물이 필요하다. 탄산음료 만드는 공장을 가동하고, 주스에 들어가는 과일과 설탕을 생산하는데 들어가는 물의 양이 엄청난 물 발자국을 만들어 내고 있다. 이로써 탄산음료 소비를 줄이고 물을 더 많이 마시면, 건강뿐만이 아닌 지구에도 도움이 된다. "아나바다"라는 말은 아껴 쓰고, 나누어 쓰고, 바꿔쓰고, 다시 사용한다는 의미이다. 우리가 지금 입고 있는 티셔츠에서 사용하는 종이 한 장까지 공산품을 제조하는데 엄청난 양의 물이 소비된다. 오래된 옷과 가구, 가정에서 사용하는 용품을 '아나바다'하고, 3R 운동[절약(reduce), 재사용(reuse), 재활용(recycle)]을 물에도 적용한다면 물발자국을 줄일 수 있다.

4. 바다생물 뱃속에서 만나는 쓰레기

바다는 어마어마한 크기의 파도를 품고 있다. 하지만 지구 표면의 약 70.8%라는 어마어마한 양을 차지하고 있는 바다도 더 이상 품기엔 벅찬 것이 있다. 무엇일까? 바로 해양쓰레기이다. 지구는 '푸른 바다의 행성'이 라는 아름다운 별칭을 가지고 있다. 푸른색으로 뒤덮여 있을 것만 같은 바다의 별명에도 불구하고 지구의 바다는 거대한 쓰레기 처리장이 돼 버린 이유는 무엇일까? 해양쓰레기가 문제로 제기된 지는 약 20년 정도밖에 되지 않았지만 실제로 사람들이 바다에 쓰레기를 버리는 것은 굉장히 오래되었다. 사람들이 추측하기를 그건 아마도 신항로 개척과 같이 먼 옛날, 배를 타기 시작해 새로운 육지를 찾아 나선 사람이 생겨난 바로 그 순간부터일 것이다. 배를 타고 가는 과정에서 발생하는 각종 생활 쓰레기나 오랜 시간 배에서 생활하면서 생겨난 음식물 찌꺼기, 그리고 인간이나 가축의 배설물은 모두 인간에 의해서 바다에 버려졌을 테니 말이다. 그러나 다행인지 모르게 마음마저 넓은 바다는 처음에는 사람들이 버린 것들도 스스로 다시 생태계 안으로 순환시켰다. 나는 만약 지구가 스스로 순환시키지 않고 쓰레기를 버리기 시작했을 때부터 실체가 나타났으면 사람들이 지금보다는 낫지 않았을까 생각한다. 하지만 이것 또한 우리의 문제였다. 근대화와 산업 혁명의 이전 시대에 발생했던 쓰레기들이란 현재와는 달리 대부분 자연물의 일부이거나 유기물이었기에, 넓은 바닷속을 가득 메운 소중한 해양 생물체들이 이를 먹고 소화해 다시 지구 생태계의 자원으로 되돌려주는 순환 고리를 형성하고 있었기 때문이었다. 하지만 점차 상황은 변하기 시작하고 악화하였다. 세계화에 따른 계속되는 장거리 이동으로 선박운행에 따른 쓰레기 배출량 자체는 급격하게 늘어나고, 계속해서 증가하는 인구로 살아갈 자리까지 부족해지자 육지에서 만들어진 쓰레기마저도 바다에 투기하는 사례들이 점차 증가하게 되는 것이다. 여기에 산업혁명 이후의 인류는 이전에는 지구상에 존재하지 않던 다양한 화학물질들을 계속해서 만들어 내는 중이고, 이들 역시 곧 엄청난 쓰레기 더미가 돼 바다로 버려졌다. 즉 우리의 발달로 쓰레기의 성분이 자연적이고 유기물 적인 특성에서 반영구적으로 바뀌면서 지구의 생태계 속에서 순환되지 않고 쌓여만 가는 것이었다.

해양쓰레기의 대표적인 성분이라고 한다면 인류가 만들어 낸 화학물질 중에서 최고로 인기가 있었던 상품인 우리가 모두 사용하는 '플라스틱'일 것이다. 가볍고 싸다는 최고의 장점 하나만으로 플라스틱은 굉장히 짧은 시간에 인간의 삶 전반에 자연스럽게 포함되기 시작하였고 그로 인해서 지금 나타난 결과는 플라스틱의 사용량이 1인당 연간 약 42kg에 달할 정도로 굉장히 많은 플라스틱을 사용한다는 것이다. 하지만 모든 물건에는 사용 기간이 길다고 하더라도 사용 연한이 있기 마련이고, 제 역할을 다한 뒤에는 재활용 되어지는 양보다 버려지는 양이 많다는 사실은 플라스틱 역시 피해 가기 힘들다. 거기에 설상가상으로 플라스틱의 경우에는 제품으로써의 수명은 다른 성분들에 비해서 비교적 많이 짧은 데 비해 플라스틱이라는 성분 자체의 분해 주기는 반영구적일 만큼 매우 길다는 것이 문제이고 발명하고 나서 긴 시간이 흐르지 않아서 지구 최고의 분해자인 미생물들에게 또한 아직도 플라스틱의 존재는 너무나도 낯설어 이들을 분해하는 능력을 지닌 분해자는 아직도 나타나지 않아 플라스틱 성분의 해양쓰레기는 더욱 심각해져 가는 것이다. 자꾸만 쌓여가는 플라스틱과 같은 반영구적인 쓰레기 문제에서 골치 아픈 인간들은 창의적이면서도 매우 비윤리적이고 비도덕적으로 해양쓰레기를 해결할 방안을 찾아낸다. 바로 바다에 버리는 것이었다. 왜? 처음에는 바다에 쓰레기를 버리는 그런 추악한 행동을 보는 사람도, 말리는 사람도 없었으니까. 우리나라 인천 앞바다에 버려지는 쓰레기만 해도 연간 19만㎥에 달한다고 한다고 하지만 실제로 이렇게 어마어마한 양이 버려진다는 것을 아는 사람은 얼마나 될까? 이 어마어마한 양은 10톤 트럭 1만여 대에 달하는 쓰레기가 해마다 바다로 버려지고 있다는 것과 비슷한 양이다. 실제로 해양에서 발견된 쓰레기의 80%는 육지에서 유래됐다고 할 정도로 우리는 바다에 쓰레기를 굉장히 많이 버린다. 이렇게 바다에 버려진 쓰레기 중 일부의 유기물은 해양 미생물들에 의해 분해돼 문제를 덜 일으키지만, 나머지들은 그대로 남게 된다. 특히나 플라스틱의 경우, 썩지 않고 분해되지 않는 특성상 대부분이 그대로 남게 돼 해양쓰레기의 90%를 차지하게 된다. 대부분이 플라스틱인 쓰레기 섬이 만들어지는 과정은 해양쓰레기가 물결을 타고 떠돌다가 해류의 흐름에 떠밀려 특정 지역에 모여들고는 마치 그들만의 요새 만드는 그것처럼 점점 세를 불린다. 해양쓰레기를 발견한 사례로는 1997년 하와이에서 열린 요트 경기에 참여하기 위해서 LA로 향해가던 미국인 찰스 무어는 북태평양의 한가운데에서 거대한 플라스틱 쓰레기 더미와 마주하게 되었다. 일명 '플라스틱 아일랜드(plastic island)'의 발견이었다. 이후 이런 '섬'들은 인근 북태평양 지역에서도 추가로 발견돼, 현재 북태평양 지역의 거대한 쓰레기 밀집 지역은 적어도 세 군데에 달하는 것으로 알려졌다. 당연하겠지만 플라스틱 아일랜드를 이루는 조성물들은 90% 이상이 플라스틱 제품이다. 사실 이들이 그냥 그대로 떠 있기만 하다면 크게 문제가 되지 않을지도 모른다. 플라스틱 아일랜드는 거대하기는 하지만 인간이 거주하지 않는 북태평양 한가운데에 있으니, 근처를 지나가는 선박들만 주의한다면 괜찮을 것으로 생각할 수도 있다. 하지만 해양쓰레기들의 실제적인 문제는 그리 단순하지만은 않다

해양쓰레기 섬으로 일어나는 문제는 무엇이 있을까? 가장 대표적인 문제는 생태계 교란이라고 할 수 있다. 수 없이 언론을 통해 플라스틱 물병을 먹어 숨쉬기 힘들어하는 거북이나 비닐을 먹고 죽은 물고기들을 보았을 것이다. 이런 문제를 자아내는 이유는 해양쓰레기의 대표적인 성질인 플라스틱의 지독한 특성 때문이다. 플라스틱은 미생물에 의해 분해되지는 않는 특성을 가지고는 있지만, 오랜 세월 바다에서 떠돌며 햇빛에 노출되면 물리적 충격 때문에 잘게 부스러지기 마련이다. 이렇게 잘게 부스러진 플라스틱은 우리에게 마이크로플라스틱이라고 불리게 되면서 많은 해양 생물들에게 먹잇감으로 어느 순간부터 전환된다. 이런 과정으로 마이크로플라스틱을 먹이로 오인해 해양 생물들이 섭취하는 경우에 마이크로플라스틱은 해양생물의 몸속에서 소화가 되지도 않고, 그 결과 쉽게 배출되지도 않아서 생물 몸속에 그대로 쌓이게 되고, 이들은 다

시 먹이사슬을 따라 상위 단계의 포식자들에게 먹힘으로써 결국 생태계 전반, 넓게 퍼져나간다. 즉, 간접적으로 내부로부터 외부의 방향으로 '플라스틱 중독'이 일어나는 셈으로 결국 이는 해양생태계에 치명적인 영향을 미치게 된다. 지구 표면의 70%를 차지하는 해양생태계가 교란되면 그 영향은 결국 해양생태계뿐만이 아닌 전지구적으로 확산할 것이다. 그럼, 인간은 안전할 수 있다고 생각하는가? 마찬가지로 최상의 포식자라고 할 수 있는 인간 역시 먹이 그물 아래에 포함된 존재로서 미세플라스틱을 먹은 생명체를 또는 그 생명체를 먹은 생명체를 먹게 되면서 그 인간 파멸의 소용돌이에서 벗어날 수 없을 것이다. 지금 이 시각도 북태평양 바다 위에는 또 하나의 플라스틱 더미는 계속해서 커지고, 만들어지고 있다. 우리가 쉽게 사용하고 버리는 플라스틱 제품들이 그 속도를 더욱 올릴지도 모른다.

| 참고문헌 |
지식백과_바다가 품기엔 너무 벅찬 쓰레기

　아마 이 책의 제목을 보신 분들은 다들 놀랐을 것이라고 예상합니다. 왜냐하면 우리에게는 편하고 일상적인 우리의 실생활이 지구를 파괴한다는 생각을 하면서 말입니다. 하지만 그것이 진실입니다. 우리가 아무런 생각 없이 비친환경적인 방법으로 만들어진 음식을 먹는다는 행위나 쓰지도 않고 낭비되는 물, 먹지도 않고 버려지는 음식물 쓰레기 등등 의도하지 않게 우리는 지구를 많이 파괴합니다. 우리가 처음 지구를 파괴하기 시작할 때의 지구는 현재의 모습과 많이 달랐습니다. 지구는 지금과 달리 자체적으로 회복하였기 때문이죠. 하지만 지금은 우리가 회복시켜줄 시간입니다, 지구는 언제까지 이런 상황을 버틸수 있을 것이라고 생각을 하시나요? 기후위기시계란 산업혁명이후 1.5도가 상승하기까지의 남은 시간을 뜻합니다. 이 책이 쓰여지는 2023년 10월을 기준으로 남은 시간은 약 5년 9개월이라고 합니다. 긴 시간이라고 느껴지시나요? 그건 아마 착각일 겁니다. 하지만 지구를 위한 수많은 행동을 해서 지구의 수명을 늘려주기 위해서는 충분한 시간이기도 하지요. 이제는 정말 지구를 위해서 행동을 해줘야 하는 시기입니다. 마지막으로 [지구는 파괴된다]를 읽어주셔서 감사합니다

점점 더워지는 지구

| 작가 소개 | 안소윤

환경 동아리에 들어와서 여러 환경에 관한 활동을 하면서 환경에 관심을 가지게 되었다. 앞으로 동아리 활동이 아니더라도 환경에 대해 잘 알고 더 관심을 가지고 살 것이다.

산업화가 이루어지면서 사람들은 환경이 훼손되는 것을 생각하지 않고 자연을 개발시켰다. 그 결과 지금 우리 환경은 오염되었고, 인간을 포함한 여러 생물들이 환경오염으로 인해 많은 어려움을 겪고 있다. 오염된 환경은 지구온난화 문제로 이어지고 있다. 지구온난화는 오늘날 지구촌에 큰 문제가 되고 있다.

1. 지구온난화

　지구온난화는 대기 중에 증가한 온실 기체가 더 많은 지구 복사 에너지를 흡수하고 더 많은 복사 에너지를 방출하면서 온실 효과가 강화되어 지구 평균 기온이 높아지는 현상을 말한다. 지구온난화의 가장 큰 원인인 온실 효과를 일으키는 온실가스는 지구를 둘러싸고 있는 기체로 지표면에서 우주로 발산하는 적외선 복사열을 흡수하고 반사할 수 있는 기체를 말한다. 주된 온실가스에는 이산화탄소, 메탄, 수증기 등이 있다. 이 성분들 중 주로 수증기에 의하여 자연적인 온실 효과가 발생하게 되는데 이는 지구 기온이 유지되는 데에 필수적으로 필요한 작용이다. 비록 태양이나 물의 순환과 같은 많은 요소들에 의하여 지구의 날씨와 에너지균형이 유지되지만, 만약 온실가스가 없다면 지표면의 연간 평균 온도는 영하 18도가 되어 지구상에 생명체가 존재하기 어려운 온도가 될 것이다. 현재 지표면 연간 평균 온도를 유지하는데 온실기체가 큰 역할을 하는 것이다. 지구의 기온이 생물들이 서식하기 적절한 수준으로 유지되기 위해서 온실기체의 역할이 중요하다. 하지만 수증기와 같은 자연적인 온실가스가 아니라 산업화로 인해 화석연료의 과도한 사용으로 발생한 이산화탄소같이 인위적으로 발생한 온실 기체들이 현재 문제가 되고 있는 온실기체이다.

이 기체들이 적정한 양 이상으로 증가하게 되면 온실 기체가 흡수하고 방출하는 에너지양이 많아지게 되어 지구의 열평형에 변화가 생기고 결국 지구 평균 기온이 상승하게 된다. 1850년대 산업화 시기 이후에 지구 평균 지표 기온은 꾸준하게 상승해왔고 2017년 말에 산업 혁명 이전 대비 1도 이상 상승했다. 특히 1900년 이후에 그 상승세가 크게 나타났다. 지구온난화 외에 지구 시스템 변화와 연관된 기후 변화는 여러 자연적 요인과 인위적 요인에 의해 발생한다. 온실가스 증가에 의한 지구온난화는 지구 평균 기온 상승에만 관련된 문제가 아니다. 현재 평균 기온뿐만 아니고 해수면 상승, 해양산성화, 물순환 변화, 대기 오염, 생태계 다양성 훼손 등의 문제에 직면해 있다.

2013년까지 해수면은 산업 혁명 전 대비 19cm 증가했다. 지구 평균 지표 기온의 경우 1998년~2013년 기간 동안 온난화가 거의 중지되었으나 해수면 상승은 1995년부터 최근까지 더욱 가속화되고 있다.

하와이 마우나로아에서 관측된 대기 중 이산화탄소 농도 증가는 실제 화석연료 연소에 따른 방출량의 57%에 불과하다. 최근에 해양에서 이산화탄소를 더 많이 흡수함에 따라서 해양 산성화가 급속도로 진행되고 있다.

1. 지구온난화로 인해 변하는 지구

기온이 상승하게 되면, 북극이나 남극에 있는 빙하가 녹게 된다. 남극에 있는 빙하는 대륙 빙하이기 때문에 그것들이 녹게 되면 약 7m 정도의 해수면이 상승할 것으로 예측된다. 지난 20세기 동안 해수면은 평균 10~20cm 높아졌고 앞으로도 해수면 상승이 지속적으로 나타날 것이다. 만약 해수면이 크게 상승할 경우, 방글라데시와 같이 해변가에 인구가 밀집되어있는 국가에서는 바닷물이 범람하여 많은 피해를 줄 것이고 몰디브와 같은 작은 섬나라는 사라지게 될 것이다. 그리고 빙하가 녹으면서 남극에 살던 생물들은 서식지를 잃게 되어 멸종위기에 처할 수 있다.

산호 백화현상의 가장 큰 원인도 지구온난화이다. 산호는 몸속에 공생조류를 간직하고 있다. 열대 바다의 거대한 산호초 생태계를 형성하는 산호는 조직 내에 살면서 산호에 색소를 주는 황록공생조류라고 불리는 조류 유사 단세포 편모 원생동물과의 공생관계에 있다. 황록공생조류는 깨끗하고 영양분이 부족한 열대 바다에서 중요한 요소인 광합성을 통해 산소에 영양분을 공급하고, 산호는 광합성에 필요한 이산화탄소 등을 황록공생조류를 제공하며 서로 공생하는 역할을 한다.

부정적인 환경 조건들은 산호가 황록공생조류가 필요로 하는 것을 제공하는 능력을 제대로 발휘할 수 없도록 한다. 이런 경우 산호는 단기적 생존을 위해 황록생공조류를 몰아낸다. 이로 인해 산호는 더 밝은 흰색이 되거나 완전히 하얀색으로 변한다.

지구 기온이 올라감에 따라 극한 기상 현상이 더 자주, 더 크게 발생하고 있다. 폭염, 가뭄, 태풍, 폭우 등의 현상이 더 빈번해지고 심각해진다. 지구온난화로 심각해진 이상기후는 우리나라에서도 볼 수 있다. 1월 상순에 전국적으로 들이닥쳤던 한파, 중순 이후로는 고온 현상이 나타나 기온의 변동폭이 매우 컸다. 1~12월에 차가운 대륙 고기압의 영향으로 전국 평균 기온은 -5.7도를 기록하면서 한강과 낙동강이 얼 정도로 전국적으로 한파가 이어졌었다. 3월의 전국 평균 기온은 8.7도였고, 최고기온은 14.8도, 최저기온 3.1도로 1973년 이후 가장 높은 기온이었다. 날씨가 금방 따뜻해지면서 봄꽃의 개화도 빨라지고 있다. 서울 기준으로 벚꽃이 3월 24일에 펴서 평년의 4월 8일보다 훨씬 빨랐으며, 이는 1922년 벚꽃을 관측한 이래 가장 빠른 시기였다. 7월 중순부터 하순까지 전국 최고기온이 30도가 넘는 극심한 무더위가 발생하고 장마철이 짧아지고 비가 잦아졌다.

이렇게 지구온난화로 인한 이상기후 문제가 인명 손실, 재산 피해, 농작물 피해, 전력 및 수도 공급과 같은 필수 서비스 중단 등 엄청난 영향을 미칠 수 있다.

전 세계는 지구온난화의 주요 원인이 되는 온실가스를 줄이기 위한 공동의 노력을 펼치고 있다. 국제적인 협약을 통해 온실가스 발생을 통제하기 위한 활동을 시작하고, 2015년 파리 협정을 통해서 지구 온도 상승을 2도 이하로 제한할 것을 목표로 정했다.

그리고 IPCC 등의 보고서를 통해 목표는 2도에서 1.5도로 더 낮아졌다. 1992년에는 국제 협약을 맺어서 지구 온실화를 가속화시키는 주범인 이산화탄소의 배출 규제를 주요 과제로 다루고 있다. 지구온난화가 우리 생활에 미치는 영향은 다양하다. 기온이 상승하면서 전염병, 물 부족, 식량난 등의 여러 문제가 발생하고 있다.

지구온난화는 전염병과 감염병의 발생과 확산에 영향을 준다. 기온이 상승하면서 바이러스나 세균이 번식하기 쉬워지고, 그들을 전파하는 벌레나 동물들의 서식지가 확대되고 개체 수도 증가하게 된다.

또한 기후 변화로 인해 생태계가 파괴되면서 야생동물들과 인간이 접촉하게 되고 새로운 바이러스가 유입될 수 있다. 몇 년간 지속되었던 코로나19 바이러스도 지구온난화와 밀접한 관련이 있다. 지구온난화로 기온이 상승하면서 몸에 바이러스를 지닌 박쥐들이 서식지를 옮기면서 원래 대부분 열대지방에 살던 박쥐들이 온대지방으로 영역을 확장하면서 새로운 바이러스가 유입된 것이다.

기온 상승 이외에도 개발을 위한 벌목과 방화, 광산 개발, 농장 조성 등 생태계를 파괴하는 행위들 역시 야생동물들이 서식지를 잃고 이동하게 만들었다. 이 과정에서 많은 바이러스를 지니고 있는 야생동물들과 인간이 접촉하게 되면서 전염성 질병이 유행하게 되었다.

지구온난화가 우리의 삶에 미치는 다양한 영향들이 지구온난화가 심각해지면서 더 크게 영향을 미칠 것이다.

3. 화석연료

지구온난화 원인 중 하나인 화석연료는 수백 만년동안 묻혀 있던 고대 식물과 동물의 사체로 만들어진 천연자원으로, 탄소 함량이 높은 물질이다. 화석연료에는 현재 우리가 사용하는 석유, 석탄 등이 있다.

역사적으로 산업 혁명 당시 석탄이 중요한 자원으로 이용되면서 세계적으로 화석연료의 사용이 증가하기 시작하였다. 20세기를 전후하여 석유가 석탄보다 중요한 자원으로 대두되었고, 화석연료는 현재까지 인류가 사용하고 있는 중요한 에너지 자원이 되었다.

화석연료는 고대의 생물들이 지층에 파묻힌 다음, 여러 특수한 환경에서 탄화수소의 덩어리로 변질되면서 생성된 것이라고 여겨지고 있다.

화석연료의 종류 중 하나인 석유는 수송을 위한 주요 연료일 뿐만 아니라 살충제, 비료, 플라스틱, 페인트 등 다양한 제품들을 만드는 원료로도 이용된다.

세계적으로 산업화가 진행되고 경제가 발전하면서 이들 화석연료를 이용한 동력자원의 수요는 증가하였는데, 그중에서도 석유는 자동차나 선박 등 운송 수단의 동력원이 될 뿐만 아니라 화력발전

및 석유 화학공업, 각종 공업 등의 원료가 되기 때문에 아직까지도 가장 중요한 화석연료로 꼽힌다. 석탄은 주로 발전소에서 전기를 만들어내는데 사용되고, 시멘트를 생산하는 데 필요한 열에너지를 만드는 데도 쓰인다. 석유에 비해 매장량도 많고 비교적 넓은 지역들에 걸쳐 분포되어있다. 석탄은 석유에 비해 값이 싼 편이다. 이로 인해 난방, 공업원료 및 동력자원 등으로 폭넓게 이용되고 있다. 그러나 대기오염 물질을 많이 배출하여 환경오염의 주요 요인이 되기도 한다.

천연가스는 건물이나 산업 공정에 필요한 열과 전기를 생산하는 데 사용되고, 비료를 생산하는 데 이용되기도 한다. 주로 석유가 채취되는 유전에서 석유와 함께 얻을 수 있는 자원으로, 탄화수소로 이루어진 기체 상태의 가스를 가리킨다. 냉동 액화 기술의 발달로 운반이 쉬워지면서 세계적으로 수요가 급증하였다. 석탄과 석유에 비해 대기 오염물질이 적어 현대에 들어와 가정용 난방 연료로 많이 쓰이며, 발전용 및 산업용으로도 많이 사용된다.

최근에는 기존의 천연가스와 다른 새로운 형태의 셰일가스 채취가 이루어지면서 천연가스 사용이 더욱 확대되고 있다. 전 세계 화석연료 사용 비율을 보면 석유 40%, 석탄 30%, 천연가스 30%로 쓰이고 있다.

오늘날 세계 에너지의 약 80%가 화석연료에 의해 공급되고 있다. 이렇게 우리 일상에 화석연료가 많이 쓰이는 만큼 지구 환경에 미치는 영향도 매우 클 것이다.

4. 화석연료의 문제

　화석연료의 문제는 우리 주변에서 많이 쓰이는 화석연료가 기후 변화의 주요 원인이라는 것이다. 화석연료를 연소시키게 되면 이산화탄소가 배출되고 이로 인해 대기 중의 온실가스가 증가하게 된다. 현재 대기로 방출되고 있는 온실가스의 85% 정도가 화석연료의 연소에 의해서 발생하고 있다. 화석연료의 과다 사용으로 이산화탄소 배출량이 급격히 증가하게 되고 지구의 표면 온도는 꾸준히 올라갈 것이다. 화석연료 사용으로 인한 기후 변화에 심각성을 느끼고 줄일 필요가 있다. 화석연료가 연소 될 때 나오는 이산화탄소와 질소산화물이 다른 기체와 결합하여 미세먼지를 형성하고 동식물에 해로운 산성비의 성분이 된다.

　산업 혁명이 일어난 18세기부터 화석연료 사용이 급증하면서 이산화탄소 배출량 역시 크게 증가했다. 현재도 화석연료 사용 비중이 여전히 전 세계 에너지 사용량의 80% 이상을 차지하고 있고, 화석연료 사용이 증가하면서 온실가스 배출량도 점점 늘면서 환경에 영향을 주고 있다. 이러한 영향들로 인해 지구의 평균 온도가 상승하고 있고 이상기후 현상, 해수면 상승, 동식물 멸종 등 다양한 문제가 발생하고 있다.

석유, 석탄, 천연가스 채굴, 처리해서 수송하는 과정은 주변 환경이나 생태계에 악영향을 미친다. 화석연료의 채굴은 지하 및 지표의 자연생태계를 파괴하고 석유나 천연가스 채굴 장비는 지하수를 오염시킨다.

두 번째로 석탄, 석유, 그리고 천연가스를 이용하는 화력발전소, 공장, 그리고 내연기관 등의 배기가스에서 배출된 이산화탄소는 대기 중에 머물러 기후 변화와 지구온난화에 영향을 주는 것으로 알려져 있다.

세 번째로 화석연료 사용으로 발전소에서 재, 수은, 비소 등 인간과 환경에 해로운 물질이 배출된다.

이렇게 화석연료 채굴을 멈춘 이후에도 그 땅을 원상태로 돌이키는 것은 거의 불가능하다. 결국 원래 주인인 야생동물들은 서식지를 잃게 된다. 적당한 양의 화석연료는 필요하지만, 과다 사용은 오히려 기후 변화의 원인이 될 것이라고 생각한다.

5. 지구온난화 예방을 위해
우리가 할 수 있는 일

　지구온난화를 막기 위해서는 온실가스 사용을 줄여야 한다. 하지만 온실가스는 모든 나라에 영향을 미치기 때문에 한 나라의 힘만으로는 줄일 수 없다. 지구온난화를 막기 위해 여러 나라가 함께 협약을 맺고 노력하고 있다. 1992년에 브라질의 수도 리우데자네이루에서 세계 여러 나라가 지구온난화 문제를 함께 해결하자는 약속의 표시로 기후 변화 협약을 채택했다.

　2015년 12월 12일에 파리에서 열린 기후 변화 협약에서는 많은 국가들의 참여를 유도했다. 미국은 NDC로 2030년까지 26~28% 절대량 감축을 약속했고, 유럽연합은 2030년까지 절대량 40% 감축을 목표로 한다. 중국은 2030년까지 국내총생산(GDP) 대비 배출량 기준 60 ~ 65% 감축, 한국은 2030년의 목표연도 배출전망치 대비 37% 감축 목표를 제출했다.

　이처럼 여러 나라들끼리 기후 변화를 막기 위하여 목표를 정하고 노력하고 있다.

　1997년에는 온실가스의 배출량을 줄이기 위한 구체적인 실행 내용을 담은 교토 의정서를 발표했다.

지구온난화를 예방하는 방법 중 하나인 탄소중립은 이산화탄소를 배출한 만큼 이산화탄소를 흡수하는 대책을 세워 이산화탄소의 실질적인 배출량을 0으로 만든다는 개념이다.

탄소중립을 실행하는 방안으로는

첫째, 이산화탄소 배출량에 상응하는 만큼의 숲을 조성하여 산소를 공급하거나 화석연료를 대체할 수 있는 무공해 에너지인, 태양열, 태양광 풍력 에너지 등 재생 에너지 분야에 투자하는 방법이 있다.

둘째, 이산화탄소 배출량에 상응하는 탄소배출권을 구매하는 방법 등이 있다. 탄소배출권(이산화탄소 등을 배출할 수 있는 권리)이란 이산화탄소 배출량을 돈으로 환산하여 시장에서 거래할 수 있도록 한 것인데 탄소배출권을 구매하기 위해 지불한 돈은 삼림을 조성하는 등 이산화탄소 흡수량을 늘리는 데에 사용된다. 각 나라에서는 지구온난화의 주범인 이산화탄소 배출량을 줄이기 위해서 탄소중립 운동을 활발히 시행하고 있다. 한국 온실가스 배출량의 25%를 차지하고 있는 열과 전기 생산은 건물 산업 등 다양한 분야에서 사용되고 있다.

현재 기후 변화를 해결하기 위한 가장 현실적인 해결책으로 석탄, 석유 등 화석연료를 주로 사용하는 현재의 전력시장을 태양광이나 풍력 등 친환경적인 대체 에너지로 전환하는 것이다.

우리가 이용하고 있는 교통수단들은 온실가스 배출의 큰 공급원이다. 전기를 이용한 전기차 운행을 늘려나가야 하고, 자동차 엔진의 효율, 연비를 향상시켜 휘발유 사용량과 대기로 배출되는 이산화탄소를 줄여야 한다. 자율주행차를 도입하는 것도 온실가스를 줄이는 데 효과적이다. 교통정체가 줄어 에너지를 덜 소모하게 되고 동시에 사람이 운전할 때 불필요하게 소모되는 에너지까지 줄일 수 있다.

또 우리 주변에서 쉽게 볼 수 있는 나무와 식물은 이산화탄소를 모아 저장해주는 훌륭한 이산화탄소 수원이기 때문에 나무와 식물을 보호해야 한다.

우리가 할 수 있는 방법으로 탄소중립 실행을 도와야 한다.

이산화탄소를 줄이기 위해서 산림 파괴를 멈춰야 하고 숲을 가꾸고 관리하는 것, 화석연료를 기반으로 한 화학 비료의 사용을 줄이고 친환경적인 농업 시스템을 가꾸면서 기후 변화 해결을 위해 노력해야 한다.

우리는 에너지 절약을 통해 온실가스 배출을 줄일 수 있고 전력을 절약하기 위해 가전제품을 끄고, LED 등 효율적인 조명을 사용하는 것이 좋다.

지구온난화로 인한 기후 변화 현상을 완전히 멈출 수는 없지만, 지구온난화 해결 방안 실천을 통해 지구온난화 현상을 늦추는 것은 가능하다.

폐기물은 탄소 배출과 온실가스 생성에 큰 영향을 미치기에 우리는 재활용과 분리수거를 통해 폐기물의 양을 줄이고 재활용할 수 있는 자원을 회수할 수 있다.

자동차는 대기 오염과 온실가스 배출을 유발하는 가장 큰 요인 중 하나이다. 대중교통, 자전거 또는 도보 등 친환경 교통수단을 이용하여 차량 이용을 최소화할 수 있다.

이 외에도 에너지를 사용하면서 얻는 결과물의 양인 에너지 효율을 개선하여 같은 양의 에너지를 사용하면서 더 많은 결과물을 얻을 수 있도록 해야 하고 온실가스 배출의 주요 원인인 육류 소비를 줄여야 한다.

실내 온도를 적정하게 유지하고 물을 아껴 쓰고, 전기제품을 올바르게 사용하는 등 지구온난화 예방을 위해 개인이 할 수 있는 많은 일 들에 관심을 가지고 함께 실천해야 한다.

요즘 날씨만 봐도 기후 변화가 나타나고 있음을 알 수 있다. 어렸을 때는 여름에 밖에서 오래 뛰어놀아도 지금처럼 덥진 않았는데 요즘은 걸어 다니기만 해도 땀이 뚝뚝 떨어진다. 올해 여름 다른 나라에서 나타난 여러 이상기후 현상들을 보고 다른 나라라고 방심할 게 아니라 우리나라도 언젠가 저렇게 될 수 있다는 점에 심각성을 느끼고 환경을 지키고 기후 위기에 더 많은 관심을 가져야겠다고 생각하게 되었다.

예전에 지구온난화와 이상기후에 대해 자세히 생각해 보지 않았을 때 우리의 삶과 지구온난화의 큰 연관성을 생각해 보지 못했는데 커서 지구온난화에 대해 알게 되고 책을 쓰며 지구온난화를 일으키는 원인과 알게 되어 지금 우리가 살고 있는 지구에 나타나는 이상기후 현상들이 지구온난화로 인해 일어나고 얼마나 심각한지에 대해 다시 한 번 생각해 보는 계기가 되었다. 지구에서 일어나는 지구온난화 문제를 해결하기 위해선 모든 지구인 한 명 한 명의 관심이 필요하다. 평소에 환경 문제에 관심이 없던 사람도 관심을 가지고 예방할 수 있을 때 작은 일이더라도 함께 실천했으면 좋겠다.

처음으로 환경에 관한 동아리에 들어오게 되어 여러 활동을 하면서 자연스럽게 환경에 대해 관심이 생겼다. 직접 책을 쓰면서 우리가 살고 있는 지구가 어떤 상황에 놓여있는지, 그 상황이 어떤 것에 의해 생긴 건지 우리 일상에서 쉽게 접할 수 없던 화석연료에 대해 자세히 설명하여 지구온난화의 심각성을 전하고 싶었다.

지구에서 일어나는 여러 환경과 관련된 일에 관심을 가지고 지구온난화를 예방하기 위해 다 같이 노력하고 실천할 수 있었으면 좋겠다.

지구온난화를 막자

| 작가 소개 | 손예지

나는 평소에 환경에 대해 관심이 많은 편은 아니었다. 그러다 우연히 학교 동아리 중 환경을 위하는 동아리를 발견했다. 호기심이 생긴 나는 환경 동아리에 신청을 하여 들어가게 되었다. 이 동아리를 하는 동안 환경에 대한 다양한 생각과 환경을 위한 여러 가지 다양한 일을 해보았다. 사소하면서 일상생활 속에서 쉽게 할 수 있는 것도 평소에 거의 아무것도 하지 않았다는 것을 알게 되었다. 이 사실을 많은 사람들에게 알리고 싶어서 이 책을 쓰며 자신이 쉽게 환경을 위해 할 수 있는 일들을 알려주고 싶었다. 귀찮더라도 꾸준히 노력한다면 분명 효과는 좋을 것이다.

나는 초등학교 때 학교에서 환경에 관한 이야기를 들을 때 흥미를 느꼈다. 처음엔 오염된 바다와 숲으로 인해 동물들의 보금자리가 사라지고 있다는 사실이 슬프기만 했다. 그러나 환경에 대해 알게 될수록 동물들의 보금자리를 인간이 빼앗고 있다는 사실을 알았다. 충격적이었던 것은 동물들의 보금자리를 빼앗을수록 동물뿐 아니라 인간에게도 악영향을 미친다는 사실이었다. 그래서 나는 환경 문제의 자세한 원인이 궁금해졌고 그 문제를 해결하고 싶다고 생각했다.

　하지만 머지않아 나는 '내가 노력한다고 해서 뭐가 바뀌겠어? 별로 소용없겠지'라고 생각했다. 아마 대부분의 사람들도 이렇게 생각할 것이다.

　아주 틀린 말은 아니지만, 그 한명 한명이 모여 몇십 명이 되고 몇백 명이 되어 실천한다면 그 효과는 아주 대단할 것이다.

1. 지구온난화의 원인

1. 산업화로 인한 온실기체 증가

2. 축산업·농업 분야에서 발생하는 메탄가스

3. 농경지의 화학비료 증가

2. 지구온난화의 결과

1. 해수면 상승

2. 열대우림의 사막화

3. 자연재해

4. 기후이변

5. 스모그 현상

안개 속에 매연이 포함되어 먼지 안개가 생기는 현상. 이 현상은 사람들의 시야를 가릴 뿐만 아니라 호흡기 질환을 일으킨다.

3. 지구온난화 해결 방안

(1) 개개인의 노력

1. 에너지 절약

불필요한 전구와 전자기기 사용 제한, 에너지 효율이 높은 전자
제품 사용, 냉난방 에너지 절약

2. 차량 사용 제한

*카풀제, *차량 10부제, 대중교통 이용 등

*카풀제란 자동차 운행을 공유하여 한 명 이상의 사람이 자동차를 타고 이동하며 다른 사람이 직접 운전해야 할 필요성을 없애주는 것

*차량 10부제란 번호판 끝자리를 기준으로 하여 21일이면 차량번호 끝자리가 1인 차량이 휴무를 하는 방식

3. 생활 속 물 절약

4. 재활용 및 분리수거

5. 식생활 개선

많은 양의 메탄을 발생하는 가축, 특히 소에 대한 의존도 낮추기
(비건 음식 활용)

남겨진 음식물 쓰레기에서도 다양한 메탄이 발생하므로 음식물에
대한 철저한 계획과 소비 실천

3. 지구온난화 해결 방안

(2) 기업의 노력

1. 친환경 제품 개발

2. 온실가스 감축 목표 설정

3. 지구온난화 해결 방안

(3) 정부의 노력

1. 재생에너지 상용화
화학연료가 아닌 태양, 바람, 지열, 바이오매스 등을 이용한 재생
에너지 사용

2. 숲과 토양 관리

3. 교통수단 개선

이산화탄소 배출량이 적은 하이브리드차, 신재생에너지를 이용한
전기차 운행 늘리기,

자율주행자동차 도입

자동차 엔진의 연비, 효율 향상시키기

3. 지구온난화 해결 방안

(4) 국제적인 노력

1. 파리기후협정과 교토의정서

자연은 우리와 함께 살아가는 것이 아니라 우리가 살기 위해 꼭 있어야 하는 것이다. 자연이 점점 사라질수록 우리의 남은 삶도 점점 사라질 것이다. 지금 당장은 잘 살 수 있어도 내 자식, 남은 후손들을 생각해서라도 자연을 지켜야 한다. 조금이라도 노력해서 우리 후손들에게 떳떳한 보금자리를 만들어줘야 한다.